Dedicated to my wonderful son, whose love for reading and anything with wheels has inspired this book. I am so lucky to have you in my life.

Dedicado a mi maravilloso hijo, cuyo amor por la lectura y por todo lo que tiene ruedas ha inspirado este libro. Me siento enormemente afortunado de tenerte en mi vida.

Car

Bus

Autobús (Colectivo, Micro)

Scooter

Scooter (Patinete)

Motorbike

Motocicleta (Moto)

Bicycle

Bicicleta

Skateboard

Monopatín (Skate)

Horse and Cart

Carruaje tirado por caballos

Tractor

Train

Tren

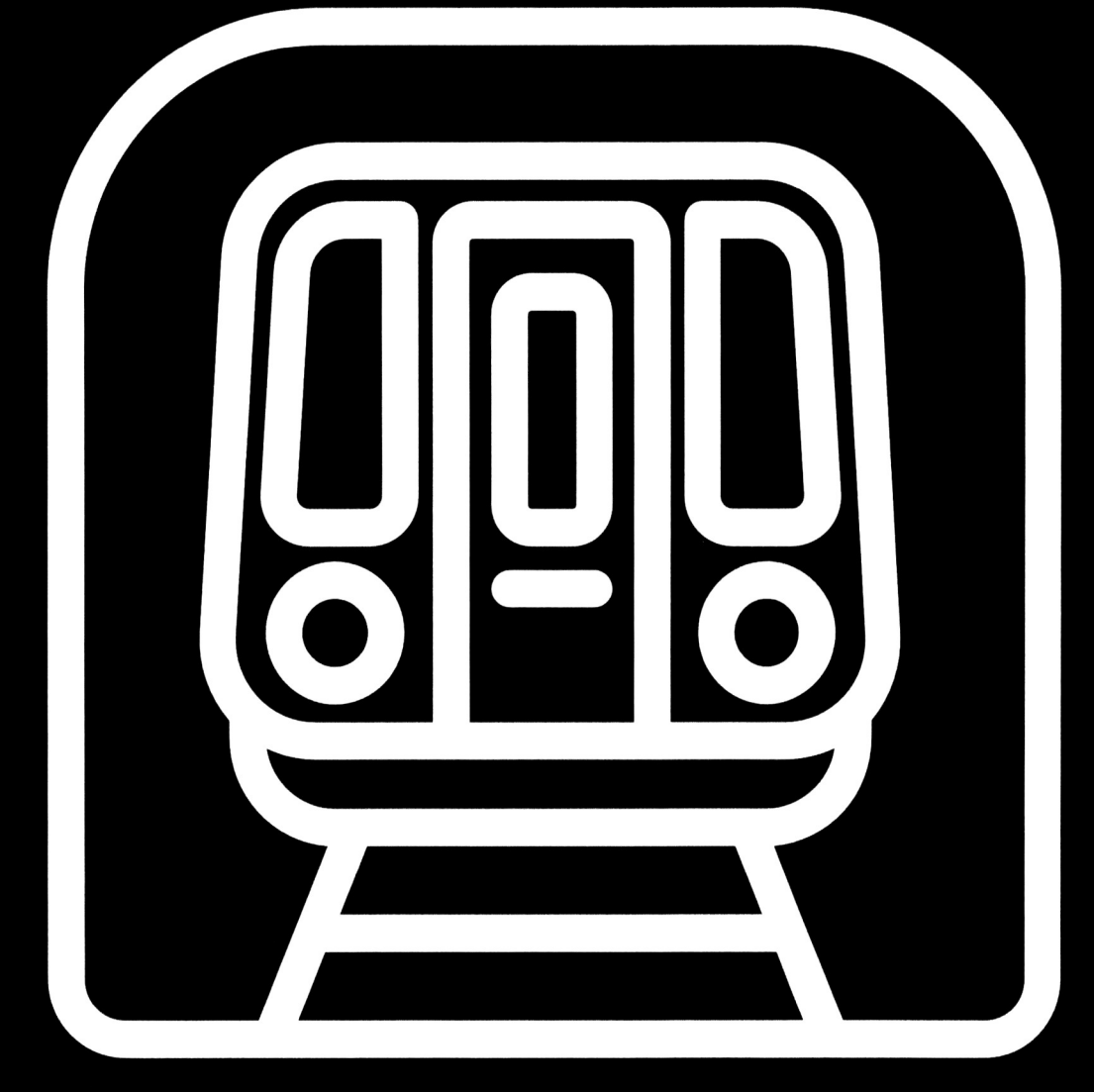

Taxi

Taxi

Police Car

Coche de policía (Patrulla)

Fire Engine

Camión de bomberos

Ambulance

Ambulancia

Furgoneta de helados

Camper Van

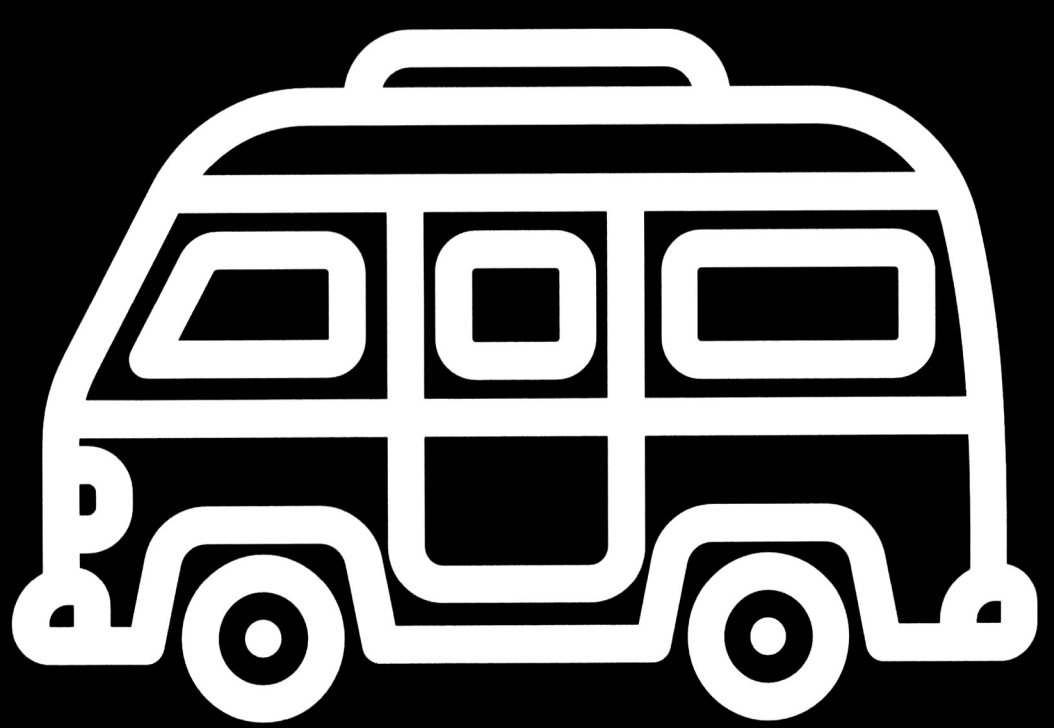

Autocaravana (Casa rodante)

Van

Furgoneta (Camioneta)

Camión

Bin Lorry (Garbage Truck)

Camión de basura

Dump Truck

Camión de volteo (Camión volcador)

Mixer Truck

Camión hormigonera

Digger (Excavator)

Excavadora

Airplane

Avión

Helicopter

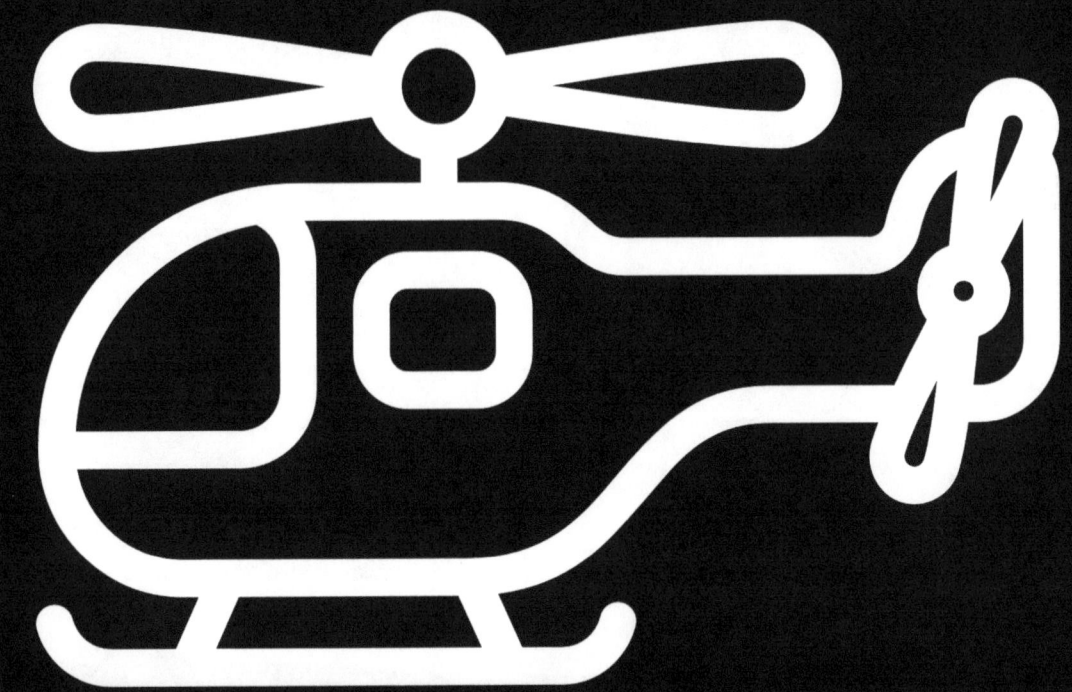

Helicóptero

Boat

Barco

Ship

Barco (Buque)

Ferry

Ferry

Pronunciation guide for English speakers learning Spanish

Words are divided into syllables using hyphens "-". A syllable in UPPER CASE should be emphasised. Pronunciation may vary due to regional accents.

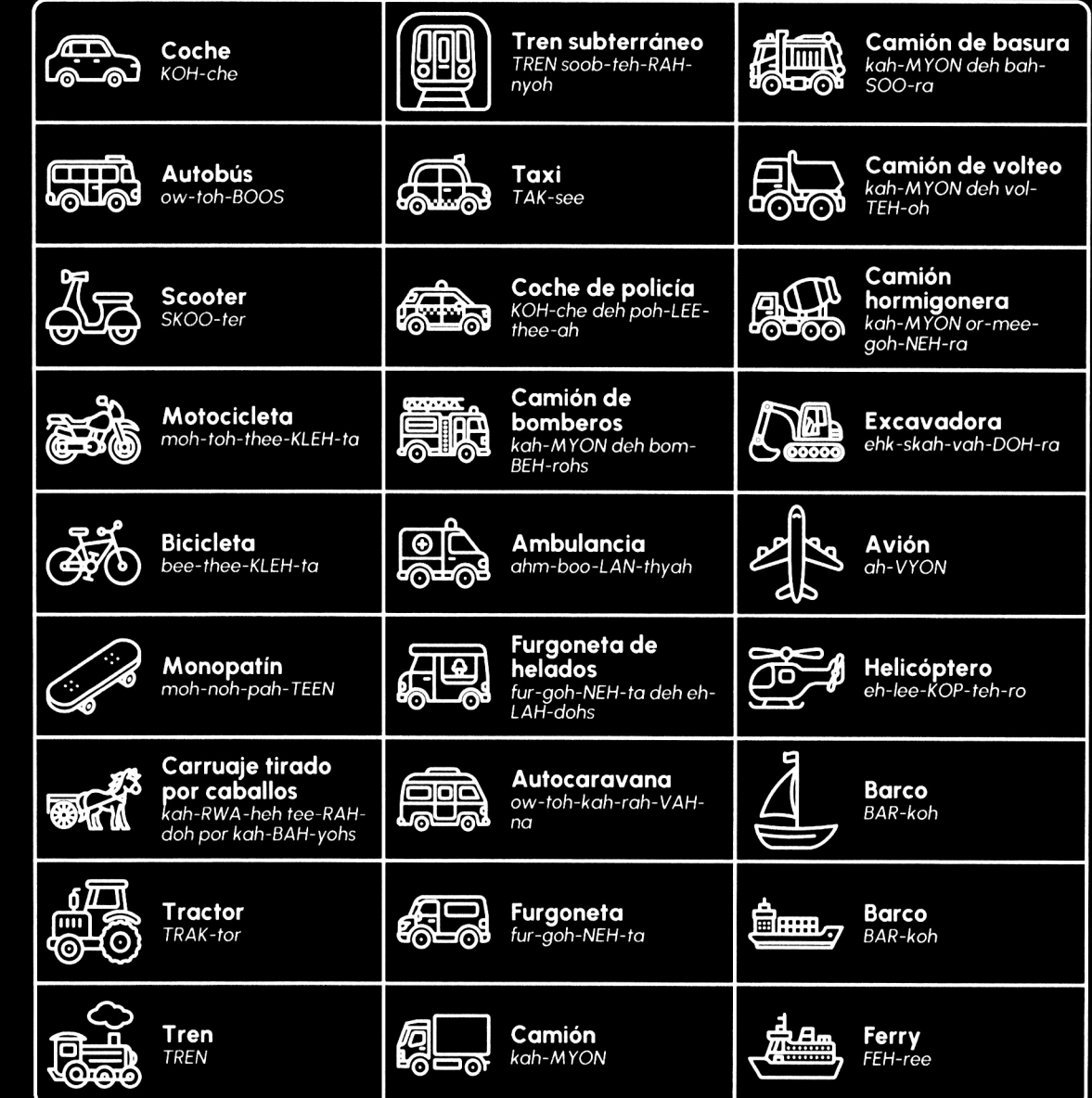

Coche KOH-che	**Tren subterráneo** TREN soob-teh-RAH-nyoh	**Camión de basura** kah-MYON deh bah-SOO-ra
Autobús ow-toh-BOOS	**Taxi** TAK-see	**Camión de volteo** kah-MYON deh vol-TEH-oh
Scooter SKOO-ter	**Coche de policía** KOH-che deh poh-LEE-thee-ah	**Camión hormigonera** kah-MYON or-mee-goh-NEH-ra
Motocicleta moh-toh-thee-KLEH-ta	**Camión de bomberos** kah-MYON deh bom-BEH-rohs	**Excavadora** ehk-skah-vah-DOH-ra
Bicicleta bee-thee-KLEH-ta	**Ambulancia** ahm-boo-LAN-thyah	**Avión** ah-VYON
Monopatín moh-noh-pah-TEEN	**Furgoneta de helados** fur-goh-NEH-ta deh eh-LAH-dohs	**Helicóptero** eh-lee-KOP-teh-ro
Carruaje tirado por caballos kah-RWA-heh tee-RAH-doh por kah-BAH-yohs	**Autocaravana** ow-toh-kah-rah-VAH-na	**Barco** BAR-koh
Tractor TRAK-tor	**Furgoneta** fur-goh-NEH-ta	**Barco** BAR-koh
Tren TREN	**Camión** kah-MYON	**Ferry** FEH-ree

Guía de pronunciación para los hispano hablantes aprendiendo inglés 🇪🇸 → 🇬🇧

Las palabras están divididas en sílabas, usando guiones "-". Al hablar, se debe enfatizar la sílaba en MAYÚSCULA. La pronunciación puede variar dependiendo de la región.

Car — KAR	**Subway** — SUB-way	**Bin Lorry** — BIN LOH-ree
Bus — BOOS	**Taxi** — TAK-see	**Dump Truck** — DUMP truhk
Scooter — SKOO-ter	**Police Car** — po-LEE-se KAR	**Mixer Truck** — MIKS-er truhk
Motorbike — MOH-tohr-byk	**Fire Engine** — FYE-er EN-jeen	**Digger** — DIG-er
Bicycle — BEE-see-kle	**Ambulance** — AM-byoo-lans	**Aeroplane** — AIR-oh-playn
Skateboard — SKAYT-bawrd	**Ice Cream Van** — ICE kreem VAN	**Helicopter** — heh-lee-KOP-ter
Horse and Cart — HORS and KART	**Camper Van** — KAM-per VAN	**Boat** — BOHT
Tractor — TRAK-tor	**Van** — VAN	**Ship** — SHIP
Train — TREYN	**Lorry** — LOH-ree	**Ferry** — FEH-ree

Collect them all...
Colecciónalos todos...

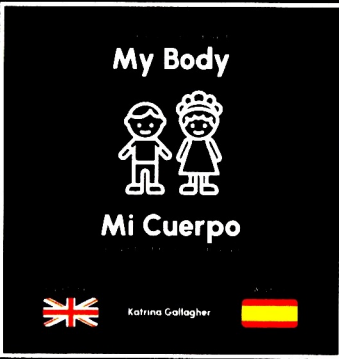

BooHQ.com/vesreview

Please review our book by scanning the QR code.

You can also access a bilingual activity booklet and other free printables.

Por favor, deja una reseña escaneando el código QR.

También puedes encontrar un folleto de actividades bilingüe y otros materiales gratuitos.

www.ingramcontent.com/pod-product-compliance
Lightning Source LLC
Chambersburg PA
CBHW040022130526
44590CB00036B/59